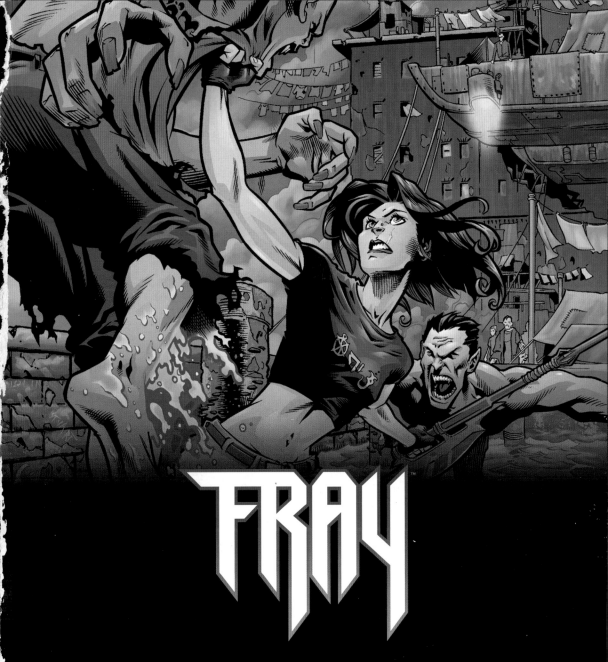

FRAY

| **Scénario** | **Dessin** |
| JOSS WHEDON | KARL MOLINE |

Encrage	**Couleurs**
ANDY OWENS	DAVE STEWART
	MICHELLE MADSEN

Couverture
KARL MOLINE

BUFFY CONTRE LES VAMPIRES ET *FRAY* SONT DES CRÉATIONS DE JOSS WHEDON.

FUSION COMICS

FRAY : RETOUR VERS LE PATOIS DU FUTUR

LES LECTEURS DU 4[E] TOME DE *BUFFY CONTRE LES VAMPIRES SAISON 8* CONNAISSENT DÉJÀ FRAY, LA TUEUSE DU FUTUR, ET L'ÉTRANGE ARGOT PARFOIS UN PEU HERMÉTIQUE QU'ELLE ET SES CONTEMPORAINS PRATIQUENT. DANS LE PRÉSENT RÉCIT, QUI EST EN FAIT LA TOUTE PREMIÈRE AVENTURE DE MELAKA FRAY PUBLIÉE AUX ÉTATS-UNIS, LES DIALOGUES SONT NETTEMENT MOINS DIFFICILES À DÉCHIFFRER QUE DANS *BUFFY S08* TOME 4. CETTE TENDANCE EST BEL ET BIEN PRÉSENTE DANS LE TEXTE ORIGINAL. ON PEUT Y VOIR DEUX EXPLICATIONS : JOSS WHEDON N'A PAS VOULU DÉCONTENANCER LE LECTEUR AMÉRICAIN DÉCOUVRANT POUR LA PREMIÈRE FOIS CET ÉTRANGE UNIVERS FUTURISTE, OU PEUT-ÊTRE N'AVAIT-IL PAS ALORS INVENTÉ LA TOTALITÉ DE CE NÉO-VOCABULAIRE ! LE LECTEUR FRANÇAIS SE RETROUVE DANS LA POSITION PEU CONFORTABLE DE DÉCOUVRIR LES APPARITIONS DE FRAY DANS LE DÉSORDRE, PASSANT D'UNE HÉROÏNE BIEN INSTALLÉE DANS SON DÉCORUM ET IMPOSANT SA LINGUISTIQUE SANS VERGOGNE (DANS *BUFFY S08* TOME 4) À UN NOUVEAU PERSONNAGE TENTANT TIMIDEMENT DE SÉDUIRE SON LECTORAT SANS TROP L'EFFRAYER PAR UN JARGON INCOMPRÉHENSIBLE (DANS LE PRÉSENT ALBUM).

EN DÉPIT DE CE SOUCI D'ORDRE DE LECTURE, LA RENCONTRE ENTRE BUFFY ET FRAY DEVAIT NATURELLEMENT FORCER LE TRAIT SUR LEURS DIFFÉRENCES LINGUISTIQUES, AFIN DE METTRE LE LECTEUR DANS LA POSITION DE BUFFY, POISSON HORS DE L'EAU, FEMME DU XXIE SIÈCLE PROPULSÉE DANS UN AVENIR DE S. F. DIFFICILE À APPRÉHENDER. OR, DANS LE RÉCIT QUE NOUS VOUS PRÉSENTONS ICI, IL N'Y A NULLE AUTRE PROTAGONISTE QUE FRAY, RÉSIDENTE EN BONNE ET DUE FORME DU MONDE FUTUR. NOUS VOUS INVITONS DONC À CONSIDÉRER CETTE HISTOIRE COMME UNE "TRADUCTION" PARTIELLE DU LANGAGE FUTURISTE AU LANGAGE CONTEMPORAIN, À LA MANIÈRE D'UN FILM ÉTRANGER DOUBLÉ EN FRANÇAIS.

"TRADUCTION" PARTIELLE PARCE QUE L'ARGOT DU FUTUR RESTE TOUTEFOIS PRÉSENT DANS CET ALBUM, BIEN QUE MOINS ENVAHISSANT QUE DANS *BUFFY S08* TOME 4. NOUS REPRODUISONS DONC CI-DESSOUS, À TOUTES FINS UTILES, LE LEXIQUE PUBLIÉ DANS L'ALBUM EN QUESTION, AGRÉMENTÉ DE NOUVELLES EXPRESSIONS QUI FONT ICI LEUR PREMIÈRE APPARITION.

100'S (PRONONCER "SANZE") = SIÈCLES
ABUZ = MENTIR, TROMPER
ASSE = ÇA
BAN = VIRER, LICENCIER
BARBOT = VOL / BUTIN
BARBOTEUSE = VOLEUSE
BISTOUFLY = GÉNIAL, SUPER, FORMIDABLE, BATH, DIGNE D'UN GRAND INTÉRÊT
BOGNER = FRAPPER
BOUQ = LIVRE
CABER = AVOIR DES DIFFICULTÉS, EN BAVER
ÇA GOSSIPE = ON DIT QUE, IL Y A DES RUMEURS…
« C'EST LA BLOOZ » = **« ON S'EST FAIT AVOIR »**
CHEULE = LOUCHE, BIZARRE
COÏ = UNITÉ MONÉTAIRE DU FUTUR (VOIR *SIL*)
CONAPT = APPARTEMENT
DOMI = MAISON, DOMICILE, REPAIRE
DROUGIES = AMIS
ESOD-MUMIXAM = DOSE MAXIMUM
ÊTRE AU JUS = ÊTRE AU COURANT
FAKEFACE = CHARME D'ILLUSION, DÉGUISEMENT MAGIQUE
FÈLE = MÉDIOCRE, NUL
FLIPOTER = AVOIR PEUR, SE FAIRE DU SOUCI
FLIPOTEUR = TROUILLARD
FRELLE = JURON PASSE-PARTOUT
GAMEOVE = MORT ; **GAMEOVER** = TUER
GOVORITER = PARLER
GLOUPIDE = STUPIDE
GLUCOSE = DANGEREUX, PÉRILLEUX
G-SÈMER = TÉLÉPHONER
HADDYN = MANHATTAN, PAR EXTENSION NEW YORK
« IMMOBILISATION ET SOUMISSION IMMÉDIATE ! » = FORMULE D'AVERTISSEMENT DES *JUSTICES* (LES POLICIERS) QUI REMPLACE « LES MAINS EN L'AIR ! PAS UN GESTE ! »
JUSTICE = POLICIER
MERZKY = DÉGOÛTANT, PERVERS
MÉTAM = MÉTAMORPHE, CRÉATURE MAGIQUE OU DÉMON POUVANT CHANGER DE FORME
NOCTO = VAMPIRE
NORAM = L'AMÉRIQUE DU NORD, LES ÉTATS-UNIS
PAS POSS = IMPOSSIBLE

PHARMAGASIN = PHARMACIE
PHÉNOM = HUMAIN AYANT SUBI UNE MUTATION SUITE À LA POLLUTION ET AU RAYONNEMENT DU SOLEIL
POLIT = POLITIQUE, POLITICIEN
RABOT = TRAVAIL
RAYZO = FORME FUTURISTE D'INTERNET SOUS HAUTE SURVEILLANCE, RÉSERVÉE AUX *UPPERS*
SONDER = VOIR, REGARDER
SIL = UNITÉ MONÉTAIRE DU FUTUR, D'UNE VALEUR PLUS ÉLEVÉE QUE LE *COÏ*
STÉRO, STÉROÏDIOT = PERSONNE DISPOSANT D'UNE FORCE SURHUMAINE ARTIFICIELLE
TÉKAP = COMPRENDRE, PIGER
TERRIER = BIDONVILLE, QUARTIER PAUVRE
UPPERS = CITOYENS FORTUNÉS DES HAUTES SPHÈRES D'*HADDYN*
WESTAM = ZONE OUEST DES ÉTATS-UNIS
YESU ! = MON DIEU !

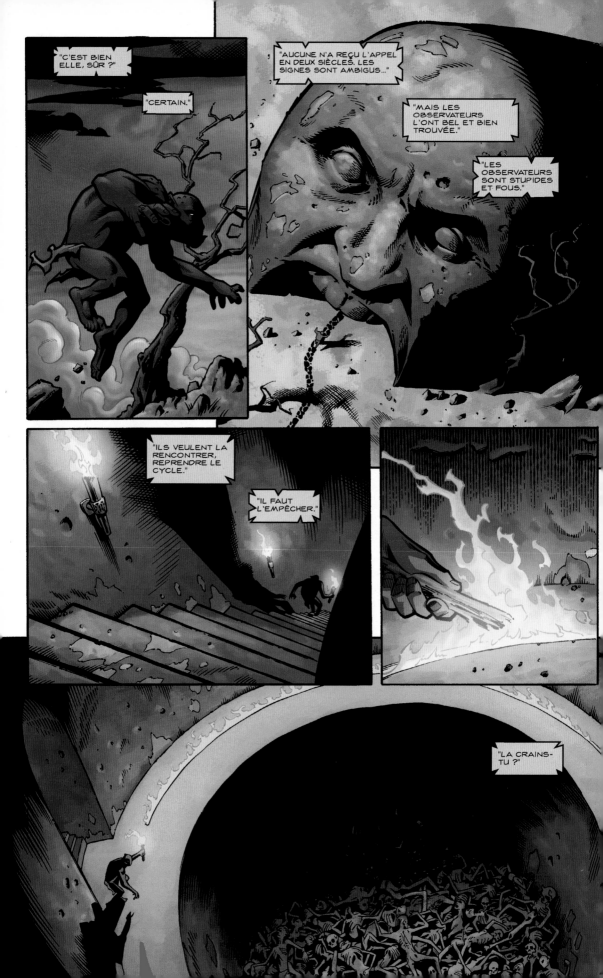

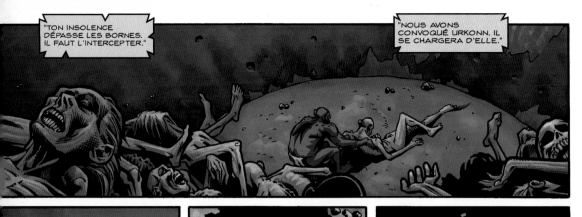

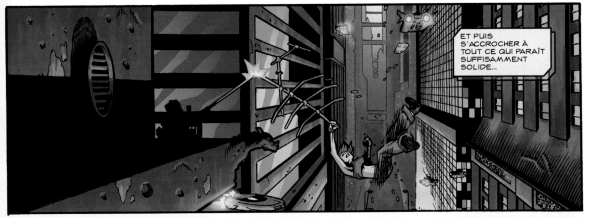

ON EST À ÉGALITÉ.

TOI, MON ÉGAL ? *HA HA !*

OH, YESU ! MES YEUX ! *FRELLE !*

JE TE CONFIE UN MESSAGE POUR RUEBRIN : *"PAS TOUCHE AUX BARBOTS DE GUNTHER."*

JE SUIS AVEUGLE...

MAIS PAS SOURD, ALORS ÉCOUTE : LE QUARTIER OUEST, C'EST GUNTHER. SI RUEBRIN Y MET LES PIEDS, C'EST LA GUERRE.

YESU... AAHHH...

HADDYN EST ASSEZ GRAND POUR NOUS TOUS. SI CHACUN RESTE À SA PLACE, Y AURA AUCUN BOBO.

SANS ÇA...

PEUT-ÊTRE QUE JE VAIS TROP LOIN.

JE SAIS CE QUI ARRIVE À CEUX QUI ÉNERVENT GUNTHER.

MAIS JE SUIS SA BARBOTEUSE N°1, ET CE BARBOT-LÀ VAUT BIEN *UN DEMI-SIL.*

ET PUIS J'AI RISQUÉ MA VIE...

BON, LAISSE TOMB...

JE T'EN OFFRE *TROIS SILS.*

DU CALME.

N'AIE L'AIR DE RIEN.

... ÇA IRA POUR CETTE FOIS, MAIS À L'AVENIR, JE SERAI INTRAITABLE.

BIEN SÛR..

C'EST BIEN PARCE QUE C'EST TOI.

JE COMPRENDS.

O.K., ALORS.

J'AI RIEN CONTRE UN PEU DE BAGARRE PENDANT LE BARBOT, GUNTHER...

... JE VEUX JUSTE ÊTRE PRÉVENUE.

ET MOI, J'AIMERAIS QU'UN JOUR, TU VIENNES ICI...

... EN JUPETTE.

ÇA NE COLLE PAS.

TROIS SILS. JE SENS LEUR POIDS ET LEUR CONTACT GLACÉ SUR MON BRAS. UN MOIS DE SALAIRE POUR UNE MATINÉE DE TRAVAIL.

TROIS.

CE N'EST PAS DU GENRE DE GUNTHER. MÊME SI JE SUIS LA MEILLEURE, JE NE SUIS QU'UNE BARBOTEUSE. POURQUOI UN TEL CADEAU ?

UNE FAÇON DE ME RETENIR AUPRÈS DE LUI, COMME UN CONTRAT ? OU LE CONTRAIRE, UNE INDEMNISATION DE...

... DÉPART...

DES NOCTOS.

J'AIME PAS LES NOCTOS.

JE DOIS RÉAGIR...

ME SAUVER... OU LES ATTAQUER... OU... BOUGER...

... POURQUOI JE N'ARRIVE PAS À BOUGER ?

RIEN DU TOUT. JE N'AI PAS PRIS L'OMELETTE DU SÉNATEUR.

ET TU NE L'AS PAS VENDUE À GUNTHER.

NON, PUISQUE JE NE L'AVAIS PAS.

TU PORTES BEAUCOUP D'ARGENT.

TU VEUX UN POT-DE-VIN ? JE CROYAIS QUE LE LIQUIDE NE T'INTÉRESSAIT PLUS. CHEZ LES UPPERS, ON CARBURE AU CRÉDIT, PAS VRAI ?

C'EST VRAI QUE MAINTENANT QUE TU ES PASSÉE SERGENT, ÇA DOIT ÊTRE LA BELLE VIE POUR TOI, DANS LES HAUTES SPHÈRES...

JE T'EN PRIE, MEL, ARRÊTE.

C'EST PAS MOI QUI SUIS VENUE TE CHERCHER DES POUX. SI TU VEUX ME COLLER AU TROU, DIS-LE.

J'ESSAIE DE T'ÉVITER LA PRISON.

TU SAIS QUOI, ERIN ? TON AIDE, TU PEUX TE LA GARDER.

UN CONSEIL : N'AVANCE PAS.

FEMELLE INSENSÉE, JE SUIS *URKONN* DES D'AVVRUS. NUL PROJECTILE NE PEUT ME BLESSER.

TZZKOW

GNYRRARRGH!!!

"PRO-JECTILE", TU DIS ?

JE L'AI RÉGLÉ SUR ESOD-MUMIXAM. ÇA DEVRAIT FAIRE DORMIR CE BESTIAU UNE BONNE HEURE.

CRASH!

ET IL N'EST...

... PAS SI MOU QUE ÇA.

ESPÈCE D'IDIOTE !

HEUREUSE-MENT QUE LES IN-SULTES...

... NE TUENT PAS !

JE NE VEUX *PAS* TE *TUER* !

TU M'AS ATTA-QUÉE...?

JE VOULAIS JUSTE TE RETENIR.

TU M'AS BALANCÉE DANS LE MUR !

TU M'AS FAIT MAL.

J'AI PERDU MON CALME.

QUE ME VEUX-TU...?

JE SUIS ICI POUR TE FORMER. TE PRÉPARER À LA BATAILLE QUI S'ANNONCE. TU ES L'ÉLUE, MELAKA FRAY. TON DESTIN EST DE MENER L'HUMA-NITÉ DANS LA GUERRE...

... CONTRE LES VAMPIRES.

C'EST QUOI, LES VAM-PIRES ?

MANGE-LE OU JE TE TAPE.

"LES NOCTOS."

CRUNCH

FAIRE LA GUERRE AUX NOCTOS.

OUI. TEL EST TON DESTIN, MELAKA FRAY.

PARCE QUE JE SUIS "LA TUEUSE".

PLUS *GLOUPIDE*, Y A PAS. ET TOI, TU CROIS À CE GENRE D'ABUZ ?

AUCUNE TUEUSE N'A TOURNÉ LE DOS À SON DEVOIR.

T'AS PAS ENCORE FINI, TOI ? JE NE SUIS *PAS* TA FRELLE DE TUEUSE !

À CHAQUE GÉNÉRATION, IL Y A UNE ÉLUE. SEULE, ELLE DEVRA AFFRONTER...

MAIS VAS-Y, TOI, VA TE BAGARRER TOUT SEUL CONTRE LES NOCTOS.

SANS TOI, ILS ENVAHIRONT TON MONDE.

C'EST JUSTE DES NOCTOS ! DES PHÉNOMS COMME LES AUTRES !

ALORS POURQUOI EN AS-TU PEUR ?

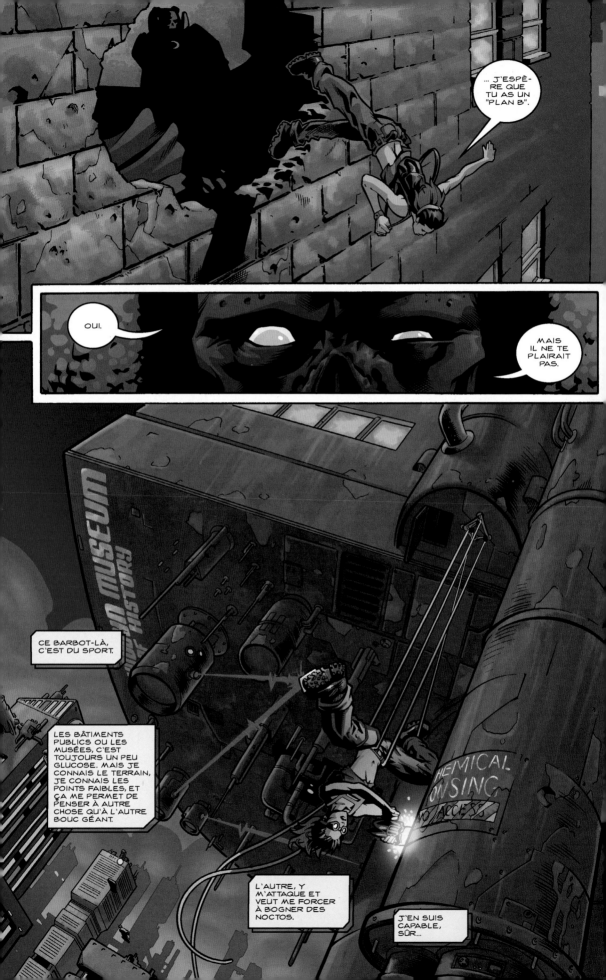

COURS.

COURS, HARTH ! SAUVE-TOI !

WHOOMP!

IL ME FAIT MAL.

TANT MIEUX, LA DOULEUR ME RÉVEILLE.

JE LUI OFFRE DE QUOI SE DÉBOÎTER LA MÂCHOIRE.

C'EST JUSTE CE QU'IL CHERCHE.

TUER.

UNE TUEUSE...

... ÇA FAIT QUOI, EXACTE-MENT ?

ON ARRÊTE DE VOLER, OK ?

T'AS DE LA CHANCE QUE J'AIE PAS EU À CHOISIR ENTRE TOI ET LA BOUFFE.

LA BOUFFE...

... C'EST *VOUS.*

NAGAHHHH!!!

LE RÊVE. TOUJOURS LE MÊME.

C'EST FINI.

NAGAHH!!!

ENTRAÎNEMENT.

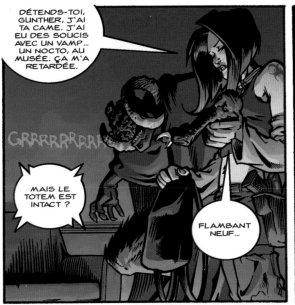

DÉTENDS-TOI, GUNTHER. J'AI TA CAME. J'AI EU DES SOUCIS AVEC UN VAMP... UN NOCTO, AU MUSÉE. ÇA M'A RETARDÉE.

GRRRRRRRRR

MAIS LE TOTEM EST INTACT ?

FLAMBANT NEUF...

... PARFAIT POUR LES AMATEURS DE NAINS QUI GERBENT DES SERPENTS.

C'EST GENTIL D'IDENTIFIER LA MARCHANDISE !

ET TON INSOLITE COMPAGNON ? IL CHERCHE DU TRAVAIL ?

GRRDDRARRRR

NON, IL M'ACCOMPAGNE. PARLONS ARGENT.

MELAKA ! JE T'AI DONNÉ TROIS SILS POUR L'AMULETTE, ÇA NE TE SUFFIT PAS ?

GÉNIAL, ILS DÉBALLENT TOUT !

MAIS AUCUN TRIBUNAL NE PRENDRA EN COMPTE UN MOUCHARDAGE PIRATE. TU VOULAIS JUSTE ÊTRE SÛRE QUE TA SŒUR EST IMPLIQUÉE, HEIN ERIN ?

TOUTE PEINE MÉRITE SALAIRE. JE NE FIXE PAS LES PRIX, POISCAILLE.

JE BARBOTE, POINT.

NON.

JE VOULAIS ME TROMPER.

L'EN-DROIT EST-IL SÛR ?

S'IL ÉTAIT SÛR, QUELQU'UN LE SQUATTERAIT. MAIS ICI, ON SERA BIEN POUR S'ENTRAÎ-NER, JUSQU'À CE QUE LE PLAFOND S'ÉCROULE.

ON COMMEN-CE PAR QUOI ?

LES RÉFLEXES.

JE JETTE DES CHOSES SUR TOI.

TU LES ESQUIVES.

TU VOIS, QUAND TU VEUX, TU PEUX ÊTRE CLAIR !

ALLEZ !

20 SECONDES PLUS TARD.

DU M'AS GOGNÉE AVEG UNE BOUDRE !

COMBIEN J'AI DE DOIGTS ?

UNE BOUDRE EN BLEIN DANS BON DEZ !

JE T'AVAIS DIT D'ESQUI-VER.

LEZON ZUIVANTE, Z'IL DE BLAÎT !

TU NE SAIGNES PLUS.

PARCE QUE JE SUIS UNE TUEUSE, C'EST ÇA ? JE GUÉRIS VITE.

DIS-MOI CE QUI EST ARRIVÉ À LA **DERNIÈRE** TUEUSE.

JE L'IGNORE.

C'ÉTAIT IL Y A LONGTEMPS, AU XXIE SIÈCLE.

"ON SAIT JUSTE... QU'IL Y A EU UNE BATAILLE.

"UNE TUEUSE, PEUT-ÊTRE AVEC L'AIDE D'ALLIÉS MYSTIQUES, A AFFRONTÉ UNE ARMÉE APOCALYPTIQUE DE DÉMONS.

"ET À LA FIN...

"ILS DISPARURENT. TOUS LES DÉMONS, TOUTE LA MAGIE. BANNIS DE CET UNIVERS."

"MAIS LA TUEUSE, EST-CE QUE..."

J'IGNORE SI ELLE A SURVÉCU.

MAIS COMME LES DÉMONS N'ÉTAIENT PLUS, ELLE FUT LA DERNIÈRE À RECEVOIR L'APPEL.

DES TUEUSES POTENTIELLES CONTINUÈRENT À NAÎTRE, MAIS JAMAIS ELLES NE REÇURENT L'APPEL, JAMAIS LEUR POUVOIR NE SE MANIFESTA. C'EST PEUT-ÊTRE POUR ÇA QUE TU N'AS PAS HÉRITÉ DE LEURS SOUVENIRS.

LE CONSEIL DES OBSERVATEURS DEVINT UN RAMASSIS DE FOUS FANATIQUES PERSUADÉS QUE LES DÉMONS REVIENDRAIENT.

TU AS RENCONTRÉ TON OBSERVATEUR HIER.

HEIN ?!? MAIS NON !

UN HOMME N'EST-IL PAS VENU TE DIRE QUE TU ÉTAIS "L'ÉLUE" ?

PERSONNE NE M'A JAMAIS... OH NOM DE DIEU... TU PARLES DU TYPE QUI S'EST IMMOLÉ ?

DES FANATIQUES, TE DIS-JE.

RÉSUMONS : JE SUIS CENSÉE ARRÊTER UNE ARMÉE DE NOCTOS ET JE DOIS RECEVOIR MA FORMATION D'UNE BÊTE À CORNES SARCASTIQUE POUR QUI L'ENSEIGNEMENT SE RÉSUME À ME POUTRER LA GUEULE, TOUT ÇA PARCE QUE LES VRAIS GENTILS SONT DEVENUS FOUS À FORCE D'ATTENDRE LE RETOUR DES MÉCHANTS.

VOILÀ.

JE VÉRIFIAIS.

MAIS TU JUGES LES OBSERVATEURS TROP VITE.

MAIS IL S'EST IMMOLÉ...!

DES GÉNÉRATIONS À ATTENDRE UN SIGNE EN VAIN, ÇA REND LES HOMMES...

LE GARS S'EST FAIT CRAMER !

IL AVAIT FROID, PEUT-ÊTRE.

C'EST VRAI, UNE TORCHE HUMAINE, ÇA PEUT TOUJOURS ÊTRE UTILE...

ILS SONT FOUS, CERTES.

MAIS ILS AVAIENT VU JUSTE.

"LES MÉCHANTS ONT FINI PAR REVENIR."

"LES ACCÉLÉRER PLUS ENCORE."

VOIS LES CHOSES DE MON CÔTÉ : UN SALAIRE, NE SERAIT-CE QUE DEUX SILS PAR NOCTO TUÉ, ÇA M'ENCOURA-GERAIT...

MEL ?

LOO ! COMMENT AS-TU...

KETTIE RAWLS M'A TRAITÉE DE STREUM ET IL A DIT QU'IL M'ARRACHE-RAIT MON AUTRE BRAS POUR QUE JE RESSEMBLE À UN DAUPHIN ET MOI JE SAIS PAS CE QUE C'EST QU'UN DAUPHIN MAIS ÇA M'A FAIT FLIPOTER ET TU M'AVAIS DIT QUE JE POUVAIS VENIR CHEZ TOI QUAND JE FLIPOTAIS.

BIEN SÛR, MAIS COMMENT ES-TU ENTRÉE ?

IL Y A UN GROS TROU DANS TON MUR.

AH OUI, C'EST VRAI. DIS, LOO, J'AI UN INVITÉ, IL EST UN PEU BIZARRE, MAIS...

BONSOIR.

TU AS DES BONBONS ?

NON.

LE FEU, LA DÉCAPITATION, LA LUMIÈRE DU JOUR, UN PIEU DE BOIS DANS LE CŒUR...

ON MANQUE DE LUMIÈRE DANS LES TERRIERS, ÇA DOIT ÊTRE POUR ÇA QU'ILS AIMENT L'AMBIANCE. ET POUR TROUVER DU BOIS, BONNE CHANCE...

À CE SUJET, QUAND TU SERAS PRÊTE...

ET LE FEU ET LA DÉCAPITATION, ÇA MARCHE POUR TOUT LE MONDE, NON ?

OUI, MAIS...

JE SAIS, ILS SONT FORTS, RAPIDES, ET ILS MORDENT. MAIS TU AURAIS DÛ VOIR LA TAILLE DU TYPE QUI M'A ATTAQUÉE AU MUSÉE. JE CROIS QUE JE SUIS PRÊTE POUR JOUER LES TUEUSES. ALLONS FAIRE UN TOUR DEHORS, JE SUIS SÛRE QU'ON TROUVERA UN...

HÉ, MELLY, T'AS DE LA PLACE POUR UN VIEUX COPAIN ENTRE TES JOLIES CUISSES ?

TIENS, TIENS.

SI C'EST PAS KETTIE RAWLS.

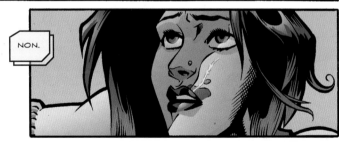

CHAPITRE QUATRE

LE POIDS DU PASSÉ

N'ES-TU PAS UNE GUERRIÈ-RE ?

JE SUIS DÉÇU, MELAKA.

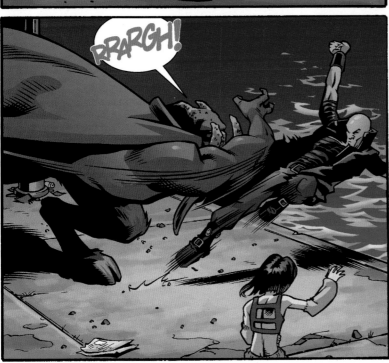

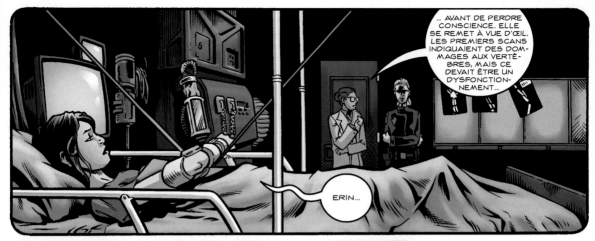

... AVANT DE PERDRE CONSCIENCE. ELLE SE REMET À VUE D'ŒIL. LES PREMIERS SCANS INDIQUAIENT DES DOMMAGES AUX VERTÈBRES, MAIS CE DEVAIT ÊTRE UN DYSFONCTIONNEMENT...

ERIN...

MELAKA...

TOUT VA BIEN.

TU AURAIS DÛ...

... LE TUER...

C'ÉTAIT UN NOCTO. J'AI VOULU...

TU BARBOTAIS.

TU AS IMPLIQUÉ NOTRE FRÈRE DANS UN VOL ET IL EN EST MORT.

"ELLE NE VAUT RIEN."

INCAPABLE DE M'AFFRONTER. SANS SON "GARDE DU CORPS"...

IL REPRÉSENTE BIEN DAVANTAGE, ET ELLE AUSSI.

J'AI BESOIN D'ELLE.

SANS ELLE, TOUT CELA NE RIME À RIEN.

JE NE COMPRENDS PAS.

TU OSES ARGUMENTER ?

UN ENDROIT OÙ LES VAMPIRES ET LES DÉMONS NE ME COLLERAIENT PAS AU TRAIN...

MELAKA ?

OUI.

OH.

JE TE CROYAIS PARTI(E).

TU NE BOITES MÊME PAS.

QUAND JE T'AI RAMENÉE, TU ÉTAIS...

JE GUÉRIS VITE.

ET JE SUIS PRÊTE POUR LA BAGARRE.

TU NE M'AS PAS PARUE PRÊTE FACE À CE VAMPIRE.

CE N'EST PAS N'IMPORTE QUEL NOCTO.

ICARE.

IL PARAÎT QUE C'EST SON NOM. UN DE LEURS CHEFS.

LE REVOIR M'A DÉSTABILISÉE. ÇA N'ARRIVERA PLUS.

LE REVOIR ? ALORS... TU LE CONNAIS ?

ÇA REMONTE À QUELQUES ANNÉES. C'EST LE SEUL TYPE QUI M'AIT JAMAIS BATTUE. CE N'ÉTAIT PAS VRAIMENT UN COMBAT, IL M'A DIRECTEMENT ÉTALÉE. IL A... TUÉ MON FRÈRE. ET J'AI EU UN PAQUET DE FRACTURES.

COMMENT S'APPELAIT...

HARTH.

IL S'APPELAIT HARTH.

... C'ÉTAIT TON FRÈRE CADET ?

AÎNÉ. D'UNE VINGTAINE DE MINUTES.

MON JUMEAU.

UNE TUEUSE AVEC UN FRÈRE JUMEAU... C'EST INHABITUEL. ÉTAIT-IL FORT, OU BIEN...?

INFOUTU D'OUVRIR UN BOCAL DE CORNICHONS.

IL AVAIT SI PEUR... QU'IL NE S'EST PAS ENFUI.

POUR ERIN, TOUT EST DE MA FAUTE, MAIS... POURQUOI EST-IL RESTÉ PLANTÉ LÀ, MERDE ?

LE VAMPIRE S'APPELLE ICARE, TU DIS ?

OUI.

JE L'IGNORAIS.

COMMENT CONNAÎT-IL MON NOM ?

MEL !

ERIN, TIRE-TOI DE LÀ ! VITE !

KRACK

MELAKA !

FRAY.

DEBOUT, FILLETTE.

TU AS VU, MAÎTRE ? LA VOILÀ, COMME PROMIS, ET MÊME PAS MORTE.

OUI.

UN CHOUÏA DÉSORIENTÉE, TOUTEFOIS.

MAIS ÇA LUI PASSERA.

QU-QUE...?

... ET PUIS LE NOCTO LUI A TAPÉ SUR LA TÊTE ET IL AVAIT UN TATOO SUR LE FRONT ET PUIS MEL ALLAIT LUI RENDRE SES COUPS ET PUIS *PAF !* MONSIEUR L'AFFREUX QUI A DES CORNES LUI EST *RENTRÉ DANS LE LARD* ET L'AUTRE IL S'EST SAUVÉ PARCE QU'IL FLIPOTAIT TROP.

C'EST PAS CE QU'ON M'A DIT.

BEN N'EMPÊCHE QUE MOI J'Y ÉTAIS ET QUE JE L'AI VU, D'ABORD, ALORS QUE TOI T'ÉTAIS AU LIT. MÊME QUE C'EST MOI QUE J'AI PRÉVENU L'AFFREUX.

N'IMPORTE QUOI. C'EST UNE MALADIE QU'ON ATTRAPE EN FAISANT LE SEXE. APRÈS, ON A ENVIE DE SANG.

MA MÈRE DIT QUE LES NOCTOS SONT MAUDITS DE DIEU.

N'IMPORTE QUOI *TOI-MÊME.* DIEU A FAIT LES NOCTOS COMME ÇA. ET CE MONSTRE A AIDÉ MEL POUR POUVOIR LA MANGER.

TOI, N'IMPORTE QUOI !

LES NOCTOS TE MANGE-RONT TOI AUSSI.

HAHA, MÊME PAS VRAI ! SI LES NOCTOS M'EMBÊ-TENT, MOI J'APPELLE MEL ET PUIS ELLE LES TAPE ! DANS LEUR GUEULE !

OUAIS, ET MÊME QUE...

... ILS OSERAIENT JAMAIS...

CHAPITRE CINQ VOILÀ LE PIRE

JE DOIS RÊVER.

... PARCE QUE MOI, TU M'AS...

... BEAUCOUP MANQUÉ.

"CE FUT DOULOU-REUX.

"IL ÉTAIT TELLEMENT ASSOIFFÉ QU'IL M'A OUVERT LA GORGE JUSQU'À L'OS.

"LA SOUF-FRANCE ÉTAIT IN-TENABLE...

"PUIS ELLE CESSA SUBITE-MENT. JE COM-PRIS ALORS QUE J'ALLAIS MOURIR.

"ET J'EUS LA VISION CLAIRE ET PRÉCISE DE CE QUE JE DEVAIS FAIRE."

MAIS IL EST VIVANT.

NON... TU NE COMPRENDS PAS.

EH BIEN NON ! IL EST INFECTÉ, C'EST UN NOCTO... MAIS IL DOIT Y AVOIR UN REMÈDE !

ÇA SE SAURAIT, NON ?

JE REFUSE DE CROIRE QUE NOTRE FRÈRE N'EST... QU'UNE COQUILLE VIDE POSSÉDÉE PAR UN... YESU, CE MOT SORT TOUT DROIT D'UNE VIEILLE VIDÉO D'HORREUR.

VAMPIRE. ET JE TE GARANTIS QUE C'EST VRAI.

PARCE QUE TU ES LA TUEUSE.

OUI. ENFIN PLUS OU MOINS.

JE CROIS QUE LA TUEUSE N'EST PAS CENSÉE AVOIR DE JUMEAU, ET HARTH... IL A HÉRITÉ DE SES SOUVENIRS.

MOI, JE N'AI QUE SA FORCE.

MEL, TU ME DEMANDES DE CROIRE QUELQUE CHOSE QUE TU ES INFOUTUE D'EXPLIQUER.

JE SUIS DE LA POLICE. J'AURAIS DU MAL À TE CROIRE MÊME SI ON N'ÉTAIT...

... SI ON NE SE CON- NAISSAIT PAS.

OUI, T'ES UNE JUSTICE, ET JE SUIS UNE BARBOTEUSE, ET T'AS MÊME FAILLI M'ARRÊTER.

ÇA A DÛ ÊTRE LE PIED POUR TOI, HEIN ? TE DIRE QUE TU ALLAIS ÊTRE DÉBARRASSÉE DE TON EMMERDEUSE DE FRANGINE...

MEL...

TU ME MÉPRISES DEPUIS LA MORT D'HARTH ET TU AS PROBABLEMENT RAISON.

C'ÉTAIT MA FAUTE !

MAIS TU CROIS QUE JE ME POINTERAIS CHEZ TOI POUR TE RACONTER DES HISTOIRES D'ÉPOUVANTE SI CE N'ÉTAIT PAS VRAI ? SI LE DANGER N'ÉTAIT PAS RÉEL ?

HARTH... IL VEUT ME FAIRE SOUFFRIR, MAIS PAS SEULEMENT MOI. IL A DIT QUE TOUS CEUX QUE J'AIME ÉTAIENT MENACÉS.

ALORS JE SUIS TRAN-QUILLE.

JE PARS. TU VAS ESSAYER DE M'EN EMPÊCHER ?

NON.

NE M'AIDE PAS, SURTOUT.

JE T'AI CHERCHÉE PARTOUT. J'AI CRAINT LE PIRE.

LE PIRE EST ARRIVÉ.

ET ÇA CONTINUE...

JE N'ÉTAIS PAS LE SEUL À TE CHER- CHER...

HARTH A DÛ METTRE SES HOMMES À MES TROUSSES.

LEUR CARTE DE VISITE AURAIT SUFFI. "ON SE TÉLÉPHONE POUR DÉ- JEUNER ?"

NE TE FIE PAS À L'AIMABLE VISAGE DE TON FRÈRE : LES VAMPIRES NE SONT QUE DES BÊTES.

ILS ONT PASSÉ LEURS NERFS SUR TON MOBILIER.

...

PAS SEULE- MENT MON MOBILIER.

"TU SERAS UN CHEF.

"LA TUEUSE SE BAT SEULE LA PLUPART DU TEMPS. MAIS À L'HEURE DES GRANDES BATAILLES, ELLE DOIT MENER LES AUTRES. CELA TE SERA DIFFICILE, BIEN PLUS DIFFICILE QUE DE TUER.

"CETTE COMMUNAUTÉ NE TE RESPECTE PAS, TE TOLÈRE À PEINE.

"ILS NE T'ÉCOUTE-RONT PAS.

"MAIS TU TE FERAS ENTENDRE.

"J'AI UN CADEAU POUR TOI.

"UNE ARME, FORGÉE IL Y A DES ÉONS, À L'USAGE EXCLUSIF DE LA TUEUSE. PERDUE PENDANT DES SIÈCLES.

"ELLE EST LA FAUX DU MOISSONNEUR DE VAMPIRES. ELLE FERA DE TOI LE HÉROS... ET LE MONSTRE QUE TU DOIS ÊTRE.

"TA GUERRE T'AT-TEND."

IL Y A EU UN MEURTRE.

ET CE NE SERA PAS LE DERNIER. LE DANGER VOUS GUETTE, TOUS AUTANT QUE VOUS ÊTES.

LES NOCTOS.

QUEL DANGER ?

LES NOCTOS ? CETTE BANDE DE RATS D'ÉGOUT ?

... SAUF QU'ILS EN SORTENT SOUVENT, DES ÉGOUTS.

ET LEUR NOMBRE AUGMENTE CHAQUE ANNÉE.

N'EMPÊCHE QU'ON EST PLUS NOMBREUX QUE CES JUNKIES.

MAIS ILS SONT FORTS ET ORGANISÉS. ET ILS ONT L'INTENTION DE NOUS ATTAQUER.

NOUS ATTAQUER ? QUAND ?

QU'EST-CE QU'ON PEUT FAIRE...?

COMMENT LE SAIS-TU ?

... ELLE EST EN ROGNE PARCE QU'UN NOCTO L'A TABASSÉE L'AUTRE SOIR, C'EST TOUT...

ET LA POLICE...?

TU N'AS PAS RÉPONDU. QUI EST CE "IL" QUI NOUS MENACE ?

VOUS SAVEZ QUI JE SUIS.

TU ES *CELUI QUI COMMANDERA.*

CELUI QUI COMMANDERA !
CELUI QUI COMMAN...

OUI, OUI, BIEN.

SAVEZ-VOUS OÙ MÈNE MON COMMANDE-MENT ?

CELUI QUI...

MERCI.

VERS LA GLOIRE.

TOUT DROIT VERS L'ENFER.

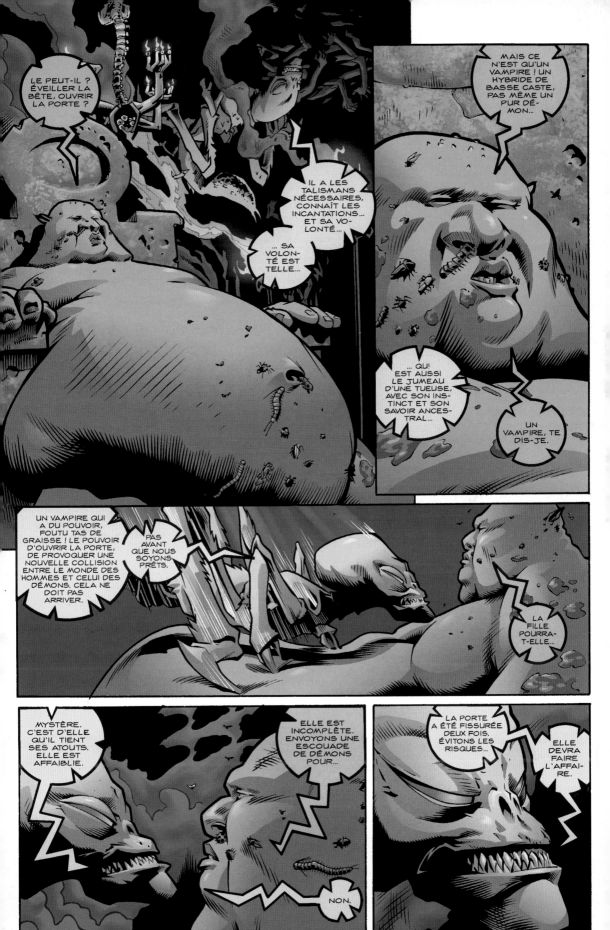

CRASSHH!

C'EST PARTI.

TUEUSE.

LA VACHE !

VOUS AVEZ VU ÇA ? JE... JE LES AI À PEINE TOUCHÉS, ET PUIS *POUF* !

MLLE ...

ENFIN, URKONN M'AVAIT EXPLIQUÉ, MAIS.... *BEURK*, ATTENTION À NE PAS RENIFLER !

ET PUIS DEUX D'UN COUP ! TROP BISTOUFLY ! MÊME URKONN VA HALLU-CINER !

MLLE !

JUSTE UN INSTAAAAAAAAHHH!

... IL M'A SURPRISE... JE ME NOIE...

URKONN... À L'AIDE....

ET COMME NEUVE.

ÇA NE FAIT QUE COMMENCER.

ELLE A FAIT QUOI ?

ELLE VA MAL.

ICARE, ON A UN DOSSIER SUR LUI, MAIS PAS DE CASIER.

ELLE TUE LES NOCTOS D'UN BOUT À L'AUTRE DU QUARTIER OUEST. ON N'A TROUVÉ AUCUN CORPS, MAIS IL Y A DES TÉMOINS...

ICARE... CELUI QUI A INFECTÉ HARTH...

GUNTHER PRÉTEND QU'IL NE L'A PAS AIDÉE À NOUS ÉCHAPPER.

IL DIT QU'IL AVAIT L'INTENTION DE COOPÉRER, MAIS QUI SAIT ? ON A UN AQUARIUM PRÊT POUR LUI AU BLOC, MAIS IL A ACHETÉ TELLEMENT DE JUGES QUE ÇA M'ÉTONNERAIT QU'IL Y PLONGE.

ELLE M'A DIT QU'ICARE FAIT PARTIE... D'UNE OPÉ- RATION.

C'EST BIEN DE TA SŒUR QUE TU PARLES ? CELLE QUI TU AS OUBLIÉ D'ARRÊTER ?

ON N'A PAS LE DROIT DE TUER LES NOCTOS. QUAND ILS S'ATTAQUENT À NOUS, C'EST LE CARNAGE, MAIS ON N'A PAS LE DROIT DE LES TUER. POURQUOI ?

BON SANG, ERIN, TU VEUX Y LAISSER TA PLAQUE ? NON SEULEMENT TU AS HÉBERGÉ UNE FUGITIVE, MAIS TU AVALES SES SALADES DE PA- RANO ? ELLE EST DANGEREU- SE !

LES NOCTOS NE SONT QU'UNE BANDE DE STÉROÏDIOTS QUI ONT DÛ PRENDRE DE MAUVAISES SUBSTANCES. LES HUILES S'EN MO- QUENT PARCE QU'ILS NE SORTENT PAS DES TERRIERS. CE QU'IL Y A ENTRE TA SŒUR ET EUX, C'EST JUSTE UNE VEN- DETTA, ET C'EST ILLÉGAL !

TU N'ES PAS RESPON- SABLE D'ELLE, ERIN. SINCÈREMENT, QUAND TU REPEN- SES À CE QU'ELLE T'A RACONTÉ, QUELLE EST TA PREMIÈRE RÉACTION ?

ELLE VA MAL.

ELLE VA BIEN.

PLUS QUE BIEN : SON ESSENCE DE TUEUSE S'EST RÉVEILLÉE. JE PENSAIS QU'ELLE S'EFFONDRE-RAIT.

LA GOUTTE D'EAU QUI FAIT DÉBORDER LE VASE.

OUI.

JE ME DEMANDE QUI BLÂMER POUR ÇA ?

MAÎTRE, LAISSE-MOI RÉPARER EN L'ÉLIMI-NANT.

LAS DE MES PETITS JEUX, HEIN ?

JE N'OSE-RAIS JA-MAIS...

TU AS RAISON. J'AURAIS VOULU QU'ELLE ASSISTE À L'OUVERTURE DE LA PORTE, MAIS... VA, OCCUPE-T'EN.

J'AI DU TRAVAIL.

ICARE.

RAMÈNE SON CORPS.

CHAPITRE SEPT LA PORTE

L'ALLÉGRESSE NOUS ATTEND.

UNE ÈRE DE RENAISSANCE...

...ET D'APOCALYPSE.

DEBOUT.

URKONN, N'INTER- VIENS PAS.

IL EST À MOI.

TU CROIS VRAIMENT POUVOIR ME TUER ? AVEC QUOI, TA HACHE TOUTE NEUVE ?

AVEC MA FOI.

KLANK

ÇA C'EST POUR MON FRÈRE, SALOPARD.

ÇA VA ?

OUI, C'EST JUSTE QUE... QUAND J'AI RECONNU CE *TYPE*, J'AI PÉTÉ LES PLOMBS.

ON VA TE RETIRER TON PERMIS !

JE NE T'AI PAS GÂCHÉ LE PLAI-SIR...?

NON, JE RISQUAIS QUAND MÊME D'Y *RESTER*.

ET PUIS C'ÉTAIT DRÔLE.

DEBOUT.

ALORS COMME ÇA T'ES UNE SORTE DE *SUPER-NANA* ?

ÇA ME FAIT BIEN MARRER, TIENS.

KETTIE RAWLS. JE T'IMAGINAIS PLANQUÉ AU FIN FOND DU WESTAM.

QUOI, LOUPER UNE BELLE BAGARRE ET PEUT-ÊTRE L'OCCASE DE TE VOIR *CREVER* ? PAS POUR TOUT L'OR DU MONDE.

MERCI D'ÊTRE LÀ, GROS SAC.

ÇA VA ÊTRE UN CARNAGE.

MAIS CE SERA JUSTE. NOUS FERONS CE QUI EST JUSTE.

ÇA NE M'ARRIVE PAS SOUVENT.

ET C'EST UNE TRADITION.

VOUS DEVIEZ PAS AVOIR DE VIDÉOS D'OCCASION À *BOUCVILLE* OU JE NE SAIS QUEL PATELIN INFERNAL D'OÙ TU SORS. HARTH ET MOI, PETITS, ON ADORAIT LES VIEUX WESTERNS, SURTOUT CEUX AVEC LA FIN TYPIQUE :

"LE BAROUD D'HONNEUR."

JE REGARDAIS AUSSI LES WESTERNS. MAIS MON PASSAGE PRÉFÉRÉ, C'ÉTAIT...

ON EST FICHUS.

ILS SONT PLUS NOMBREUX, PLUS FORTS... LE SEUL MOYEN DE LES ARRÊTER SERAIT...

... DE BRÛLER AVEC EUX.

MAIS LE PIRE, C'EST QU'AU MOMENT OÙ JE CRAINS D'AVOIR PERDU LA GUERRE, JE ME RENDS COMPTE...

... QU'ELLE N'A PAS ENCORE COMMEN-CÉ.

L'ENFER SU...

SES DENTS SONT AIGUISÉES COMME DES COUPERETS. SA LANGUE ME FAIT VALSER COMME UN MÂT DANS LA TEMPÊTE... ET CETTE ODEUR...

SI JE VOMIS, JE RESPIRE. SI JE RESPIRE, MES POUMONS PRENNENT FEU.

SA SALIVE EST EN TRAIN DE DISSOUDRE MES NIPPES, S'IL M'AVALE, JE SUIS FINIE.

L'ARMÉE DES NOCTOS NOUS METTAIT LA PÂTÉE QUAND HARTH S'EST POINTÉ À CALIFOURCHON SUR UN DRAGON.

ÇA VA DE MAL EN PIS.

CE MONSTRE A LE VENTRE REMPLI D'AUTRES MONSTRES PRÊTS À ÉCLORE.

ET IL M'A MANGÉE.

ALORS ÉVITONS L'ESTOMAC...

... ET ALLONS VOIR *LE CERVEAU.*

HNNNNH!

ERIN ?

ERIN ?

MELAKA...

NOUS AURIONS PERDU.

CE N'EST PAS UNE EXCUSE.

OH, J'AI COMPRIS AUTRE CHOSE, AUSSI.

TU NE M'AS PAS AIDÉE QUAND JE ME SUIS BATTUE DANS LE *FLEUVE*.

TU N'AS PAS POURCHASSÉ *ICARE* SOUS L'EAU, ET TU AS REFUSÉ D'ALLER EXPLORER LES *ÉGOUTS*.

TU ES UN DÉMON *PUISSANT*, UN GRAND GUERRIER, POUR SÛR. TU POURRAIS ME RÉDUIRE EN CHARPIE, SI ON T'EN DONNAIT *L'ORDRE*.

MAIS JE CROIS QUE TU AS PEUR DE L'EAU.

SKASSSHHHH!!!!

C'ÉTAIT UN BON PROF.

ET MÊME UN AMI.

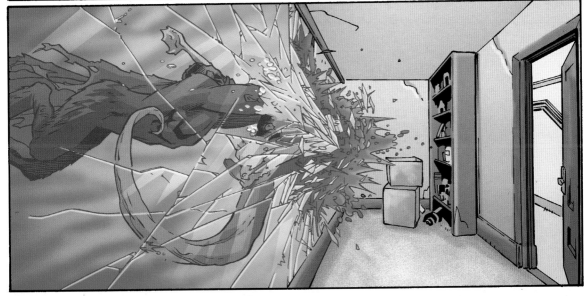

SHHHNK

ALORS
J'EN FINIS
VITE AVEC
LUI.

"POUR UN TEMPS ELLE SERA OCCUPÉE...

"... À REBÂTIR.

"SON ANCIENNE VIE REPRENDRA PEUT-ÊTRE...

"... MAIS LA NOUVELLE AUSSI.

"ET TANT QU'ELLE RÉPONDRA À CET APPEL..."

... ILS VONT M'OBSERVER.

LES DÉMONS, HARTH... D'AUTRES MENACES QUE J'IGNORE ENCORE. ILS ATTENDENT...

... QUE JE TRÉBUCHE.

D'ACCORD, LES GARS.

JE NE SUIS QU'UNE *FILLE*. NI UNE HÉROÏNE, NI UNE PROTEC-TRICE, PAS MÊME UNE *TUEUSE* À 100%.

ALORS QU'ATTENDEZ-VOUS ?

ALLEZ-Y.

TOUCHEZ À MON MONDE.

Fray I - Couverture de KARL MOLINE

Fray 2 - Couverture de KARL MOLINE

Fray 3 – Couverture de KARL MOLINE

MOLINE · OWENS · STEWART

Fray 6 - Couverture de KARL MOLINE

Fray 7 – Couverture de KARL MOLINE

Fray 8 - Couverture de KARL MOLINE

CROQUIS

FRAY

Éditeur version originale : **Mike Richardson**
Rédacteur USA : **Scott Allie**
Assistants de rédaction : **Matt Dryer, Michael Carriglitto** et **Adam Gallardo**
Remerciements spéciaux à **Michael Boretz, Kern Eccles, Brett Matthews,**
George Snyder, Diego Gutierrez et **Herb Apon.**

Fray

Fusion Comics, un label Panini
Fray ™ & Copyright © 2003 Joss Whedon. Dark Horse Books™ is a trademark of Dark Horse Comics, Inc. Dark Horse Comics ® and the
Dark Horse logo are trademarks of Dark Horse Comics, Inc., registered in various categories and countries. All rights reserved. Names,
characters, places, and incidents featured in this publication either are the product of the author's imagination or are used fictitiously.
Any resemblance to actual persons (living or dead), events, institutions, or locales, without satiric intent, is coincidental.

© **2010 Panini France S.A. pour l'édition française**
Panini France S.A.
Z.I. Secteur D – B.P. 62
06702 Saint-Laurent-du-Var Cedex – France

Traduction : Jérôme Wicky
Lettrage : Lucia Truccone

Dépôt légal : août 2010 - ISBN : 978-2-8094-1575-9
Première édition.

Tous droits de traduction, d'adaptation et de reproduction strictement réservés pour tous pays.

Imprimé en Italie par G. Canale & C. S.p.A., Via Liguria 24, 10071 Borgaro Torinese (TO).

Dans la même collection

SAISON 8

TOME 1
UN LONG RETOUR AU BERCAIL
JOSS WHEDON & GEORGES JEANTY

TOME 2
PAS D'AVENIR POUR TOI
B.K. VAUGHAN & GEORGES JEANTY

TOME 3
LES LOUPS SONT À NOS PORTES
DREW GODDARD & GEORGES JEANTY

TOME 4
AUTRE TEMPS, AUTRE TUEUSE
JOSS WHEDON & KARL MOLINE

TOME 5
LES PRÉDATEURS
COLLECTIF

TOME 6
RETRAITE
JANE ESPENSON
& GEORGES JEANTY

SAISON 1

TOME 1
ORIGINES
COLLECTIF

TOME 2
UNE VIE VOLÉE
COLLECTIF